SILENCE!:
EL LAGO DE LAS NIÑAS MUDAS

Fina Casalderrey

Dirección editorial: Elsa Aguiar
Coordinación editorial: M.ª Carmen Díaz-Villarejo
Diseño de la colección: Pablo Núñez
Ilustraciones: Claudia Ranucci

© Fina Casalderrey, 2006
© Traducción y adaptación al inglés: Cynthia Donson, 2006
© Ediciones SM, 2006
   Impresores, 15
   Urbanización Prado del Espino
   28660 Boadilla del Monte (Madrid)
   www.grupo-sm.com

CENTRO INTEGRAL DE ATENCIÓN AL CLIENTE
Tel.: 902 12 13 23
Fax: 902 24 12 22
e-mail: clientes@grupo-sm.com

ISBN: 84-675-0903-1
Depósito legal: M-21.427-2006
Impreso en España / *Printed in Spain*
Gohegraf Industrias Gráficas, SL - 28977 Casarrubuelos (Madrid)

1

¿Veis? En este mapa de África...

–¡Se parece a un corazón!

–¡De eso nada! Para ser un corazón le falta un trozo en la izquierda.

–Se dice *en el Oeste*.

–¡Basta ya, cotorras! Dejadme hablar –el tutor señala un punto en el mapa–. De Nigeria, justo de aquí, de Lagos, es de donde viene la niña que mañana se incorporará a esta aula. Así que...

–¡Yo una vez estuve de vacaciones en Lagos! –interrumpe Valentín.

–¿Sí? ¿Estuviste en Nigeria? –se interesa don Ignacio.

–En Nigeria no. Pero Lagos está en Portugal... ¿no?

En ese instante suena una carcajada colectiva y las mejillas de Valentín se vuelven del color de la sangre.

–¿Puede saberse qué es lo que os hace tanta gracia? –pregunta don Ignacio.

La clase entera enmudece expectante. Tan solo Paulo se atreve a aclarar:

–Profe, es que ha dicho que Lagos está en Portugal y está en África, donde tú has señalado.

–¿Y no se os ha ocurrido pensar que pueda haber dos lugares con el mismo nombre? –la cara de Valentín recupera el color y su pecho se hincha como cola de un pavo real–. Debéis saber que en Portugal hay otro Lagos; pero ahora dejadme hablar, que todavía no he podido deciros lo que quería: mañana vendrá una compañera nueva. Se llama Amina Nwapa.

Al mismo tiempo que pronuncia su nombre, el tutor lo escribe despacio en la pizarra.

En el grupo B son casi todos muy bulliciosos y enseguida vuelven a alborotar la clase.

–Seguro que es fea –se hace el gracioso Casiano Verde–. Fijaos en su apellido: "No guapa", ¿no os habéis dado cuenta?

–¿Y tú, te has fijado en el tuyo? –lo acorrala Flor–. ¿Eres tú un "Casi Culo Verde"?

Otra carcajada estrepitosa hace que don Ignacio se enfade de verdad. Cuando eso ocurre

se queda quieto, como si no respirase, y enseguida se le notan las venas del cuello.

–¡Ya está bien de tonterías! Mañana tendréis una compañera nueva, se llama Amina y espero que seáis respetuosos y amables con ella. Todavía no conoce a nadie...

Paz levanta la mano. Sabe que ya no es momento de bromas, pero lo que acaba de recordar le parece muy serio. Don Ignacio le hace un gesto para que hable:

–Una vez salió en la tele una mujer nigeriana que también se llamaba Amina, Amina Lawal, y la querían dilapidar porque...

Fabián se lleva una mano a la boca para ocultar su risa, pero a don Ignacio, cuando se pone serio, no se le escapa detalle y le pregunta:

–¿Puede saberse de qué te ríes ahora?

–¿Es que ha dicho "dilapidar" y eso solo se hace con el dinero. Una amiga de mi madre se ha vuelto ludópata y dilapidó una fortuna en el bingo.

–¡Bueno, está bien! Paz ha querido decir "lapidar", y eso es una cosa demasiado terrible como para que nadie se la tome a broma.

–Eso es –continúa muy seria Paz– tirar piedras a una mujer y...

–¡Es cierto! –interrumpe Fabián–. Yo lo he visto en una película. Hicieron un hoyo y metieron dentro a una mujer que tenía las manos atadas. Y, como solo quedó enterrada hasta la cintura, le cubrieron la cabeza con un saco y luego le tiraban piedras de verdad, hasta que...

–¿Dónde has visto la película? –corta Paulo el relato de Fabián–. Si ha sido en la tele, no te lo creas. Dice mi padre que solamente debemos creernos la mitad de la mitad.

–Por desgracia, esas cosas no ocurren únicamente en el cine –comenta don Ignacio.

–¿Veis? –aprovecha Paz–. En Nigeria también puede pasar.

–¡Vale, chicos! Dejemos eso. Lo único que os pido, insisto, es que seáis amables con Amina, y tened en cuenta que las palabras también pueden ser piedras que hieren. Si queréis comunicaros enseguida con ella, ya podéis poner más atención con el inglés.

–Será con el *nigeriano*, ¿no? –vuelve a hacer alarde de su sabiduría Paulo.

–Pues no. Amina Nwapa habla inglés.

–¿Inglés, profe? –insiste Paulo.

–Ya ves... Hace más de un siglo, varios países europeos se repartieron África como si fuera una tarta. Gran Bretaña, por ejemplo, se quedó con Nigeria... Europa se portó mal con África.

–Los esclavos de África existieron –asegura Severo–. Los llevaban en las bodegas de los barcos para vender en otros sitios y no sabían hablar.

–¡Eso es verdad! Solo decían "sí, bwuana", "sí bwuana" –apoya Valentín a su amigo.

–Es una huella dolorosa que ha quedado en la conciencia de los africanos –dice don Ignacio–. ¡Pero... vale ya!, que está a punto de llegar la profesora Sara.

Lo que todavía nadie imagina es la importancia que Amina Nwapa va a tener en sus vidas, ni tampoco lo que ella misma está haciendo en este justo instante.

2

Monday, 9th January 2006

Dear Edu:

How are you? Is your big brother looking after you? Are you looking after your little brother? And are you thinking about me?

I think about you all the time. When I see someone with big, BIG eyes, I think about you. When Mummy makes efo [1] or egusi [2], I think about you. When I see the sea, I think about you too.

The sea is near here too. It is the Atlantic Ocean, the same sea as in Lagos, Mummy says. She showed it to me on the map. It IS the same, but it is difficult to believe. You are so far away!

It is very cold here! Really, it is very, very, VERY cold! Everyone wears lots and

---

[1] Sopa de verduras.
[2] Estofado de carne y pimiento rojo.

lots of clothes. They wear hats and coats and scarves and gloves... You can't see their necks or their hands.

Now we have our residence permit. We are not frightened to go out.

Yesterday Mummy and I went for a long walk. We discovered a beautiful lake. There are trees all round it. And a lot of apples on the trees. There is also a little house

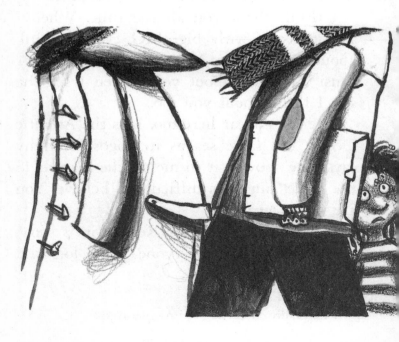

there. It is very old and has no door or windows.

We went inside. There were pictures painted on all the walls! There was a bird with a woman's face, with a little girl on its back. There was a terrible angry monster... On one wall, there were trees with different coloured fruit on them. We are going to go back to the house one day, Mummy says.

Tomorrow I'm going to SCHOOL! I'm so excited. Here in Spain ALL the girls go to school.

I want to learn a lot. I want to be as famous as Flora Nwapa [3]. I am happy that my name is Nwapa too. I like that.

You helped me to read and write in English. I like English. But I hope that one day I can write in our language Yoruba. MY language is Yoruba really.

I must go now. I had a shower an hour ago and I have to tidy up the bathroom. Mummy gets home late and she doesn't have time to do everything. She works very hard.

But she is taking me to school tomorrow.

I am really nervous, but so EXCITED about going to school. I'll tell you all about it next time.

A kiss as big as Nigeria,
Amina

---

[3] Primera mujer africana que publicó un libro en inglés.

3

–Profe, profe, mañana viene una niña nueva.

–¡Viene de África!

–¡De Nigeria!

–¡Viene de Lagos!

–¡De Lagos de Nigeria, no del de Portugal!

–¿Qué alboroto es este? ¿Habéis comido lengua de papagayo? –pregunta Sara, la profesora de inglés.

Paz levanta enseguida la mano para preguntar:

–Sara, ¿a que no sabes qué lengua se habla en Nigeria?

–El inglés es la lengua oficial de todo el país, pero además hay todo un mosaico de lenguas y culturas propias.

–¡Pues qué lío! –protesta Valentín.

–¿Por qué? –se sorprende Sara–. Saber varios idiomas cultiva la inteligencia.

–¡Eso es un rollo! –sigue rebatiendo Severo, el más alto de la clase–. Debería haber un solo idioma para el mundo entero.

Fabián levanta la mano y advierte:

–Si todos hablásemos la misma lengua, automáticamente nos convertiríamos en perros; lo dijo un sabio gallego que ya se murió.

–¡Eso es una tontería! –se burla Severo.

–Vale, dejemos eso –interviene la profesora–. Las cosas no son tan sencillas. El sabio gallego al que se refiere Fabián se llamaba Castelao y...

–¡Alfonso Daniel Rodríguez Castelao!

–Por lo que más quieras, ¡cállate ya, Fabián! Castelao se refería al hecho de que, hablar todos igual, no nos hace más humanos, ni demuestra que seamos por ello más inteligentes. Puso el ejemplo de los perros como podría haber puesto otro cualquiera.

–Pues yo –dice Valentín– tengo dos perros y cada uno ladra...

–¡Está bien, basta ya! –ordena la profesora–. En todo caso lo que tenemos que hacer es aplicarnos más que nunca para poder comunicarnos con la niña nueva, ¿no os parece? –el culo de Severo rebota en su asiento como una pelota saltarina–. ¡Ay, hijo, a ti, quien te ha puesto el nombre, ha dado en la diana! ¿Qué te pasa ahora, culo de mal asiento?

–Que digo yo... que será ella quien tenga que esforzarse en hablar nuestro idioma, ¿no? Mi abuelo cuando emigró a Suiza tuvo que aprender el suizo.

–¡Qué tonto eres, Seve! –ataca Fabián–. En Suiza se habla francés.

–Bueno, pues eso.

–No es exactamente así –corrige Sara–. Depende de la zona: en la frontera con Alemania...

–Eso –aprovecha Severo–. ¡Y no te creas tan listo!

–¿Pero será posible que vosotros dos siempre estéis como el perro y el gato? –se enfada la profesora.

–Pues yo también tengo un gato, y los perros no le... –argumenta Valentín.

Sara se da media vuelta, arrima la cabeza al encerado y todos se callan. Nadie sabe si se ha enfadado mucho o si se ríe.

Cuando se vuelve, suspira profundamente y dice:

–A ver... Os propongo buscar información

sobre el país de donde procede esa niña y así ya tendréis una excusa para preguntarle cosas.

–Yo busco en Internet, que ahí está la enciclopedia más grande del mundo –dice Fabián.

–Pues mi padre sabe más –asegura Severo–, porque estuvo trabajando en una plataforma petrolífera, que se dice así, en Nigeria.

–¡Está bien! Cada cual que se las ingenie como mejor pueda. Yo... ¡fijaos qué casualidad!, yo también podría contaros aventuras apasionantes que he vivido en África.

–¿Estuviste en África, profe? –pregunta Flor, admirada.

–Desde luego –asegura Sara–, pero solo hablaré de ello si todos me decís de carrerilla las frases con las que hemos de saludarla mañana.

–¡Jo, Sara, Ío no va a hablar! –protesta Paulo–. ¡Nació con voz de hormiga! –grita.

–Pues la tuya parece de elefante –le reprocha Flor–. Deja a Ío en paz.

–¡Ay, los elefantes! –suspira Sara–. ¡Si yo os contara!

–Yo lo sé todo sobre los elefantes –se pone engreído Severo.

–¿Ah, sí? ¿Y qué sabes, listillo? –lo provoca Fabián.

–De los colmillos de los elefantes muertos, para que lo sepas, se saca el marfil y se pueden ganar grandes cantidades de dinero.

–¡No hay elefantes muertos! ¡Sus cementerios no existen! –asegura Sara, y todos se callan–. Cómo mueren los elefantes es un secreto que los africanos se guardan muy bien. El elefante es un animal sagrado y también lo es muerto. Es casi imposible que ninguno de nosotros pueda ver en África un elefante muerto. A dónde van a morir los elefantes es el más protegido de sus misterios.

–Jo, profe, pues cuéntalo ya, que enseguida tocará el timbre y no podrás –le pide Flor.

–Los elefantes no tienen enemigos entre los animales. Ninguno podría vencerlo. Solo los humanos pueden hacerles daño. Cuando se hacen muy viejos, esperan a que se ponga el sol y acuden a sus abrevaderos a la orilla de un lago. Alargan la trompa para beber y, poco a poco, sus patas se van hundiendo en el fango hasta que el agua se los traga para siempre.

–¡Anda! ¡Los fondos de los lagos son los cementerios de los elefantes! –exclama Valentín.

–¿Y tú cómo lo sabes, profe? –la interroga Paulo.

–Ya os he dicho que estuve en África. ¡Era mi sueño de hace ya mucho tiempo! Aunque os parezca joven, tengo muchísimos años. Uno de los sabios de la tribu de Tombuctú me hizo beber uno de sus brebajes. Desde entonces compruebo que mi apariencia no cambia. Pero no sé yo si... Algunas cosas que viví en África todavía me hacen temblar de pánico y...

–¡Cuéntalo todo, Sara! –se emociona Casiano Verde–. Nadie se va a asustar.

En ese momento las miradas se vuelven hacia el pupitre de Ío, la niña que no habla, y sienten alivio al ver que está muy concentrada en hacer dibujos en su cuaderno.

–De acuerdo... Nada más aterrizar en Acra, la capital de Ghana, noté un olor fortísimo... Olía a incienso, a vainilla, a cacao, a trópico, a calor eterno, a podrido... Era como si todo floreciese muy pronto y enseguida se desintegrase.

–¿Viste caníbales?

–No, Severo, no vi caníbales. Sencillamente, había terminado la estación de las lluvias y las casas parecían *collages* hechos de húmedas manchas verdes. Los peatones, las bicicletas, las vacas... todo se entremezclaba en las calles. Yo tenía miedo de los escorpiones, de las serpientes... Los mosquitos comenzaron a atacarme uno a uno. ¡Era imposible ganarles la batalla! El ambiente era sofocante, pero lo peor todavía estaba por venir. El aire no se movía...

Las niñas y niños de cuarto B tampoco se mueven ya, pero la clase ha terminado.

–Si el próximo día os sabéis las frases, os contaré lo verdaderamente terrible.

4

Tuesday, 10th January 2006

Hello, Edu,

It is five o'clock in the morning and I can't sleep. So I am writing to you again. I am writing to you here in my bedroom.

It is very dark outside. Some nights I can't see the moon here. Can you see it there?

This moon and the moon in Lagos are the same moon, Mummy says. Did you know that? And it is the same time too. You must be asleep.

I prefer the daytime. I don't like the night-time because I have bad dreams. I had one just a few minutes ago.

It was like this...

I was very near the school. Mummy was holding my hand. People said "Hello" to us. "How are you, Leyla?" "Are you all right, Amina?" "Where are you going so early?" "You look nice, Amina!"

Mummy and I were singing one of our favourite Yoruba songs. You know, the one about different coloured giraffes and friendly buffalo. I was wearing new boots, a red coat and I was carrying my beautiful new school-bag. At last I was going to school!

Suddenly, my boots stopped. I couldn't walk. Mummy didn't stop. She went on without me. I called to her, "Mummy, wait for me! MUMMY!"

She didn't hear me.

I was all alone. I was frightened, but I didn't cry. The sky cried instead.

It rained and rained and rained, like in the rainy season! Then, at last, my boots started to move again.

I ran and ran and I was soon inside the school. I was the only girl there! I was very, very cold. The teacher was an enormous gorilla, with horrible eyes!

The gorilla came up to my desk. He put his enormous hand on my new exercise book and said, "Write the name of the biggest river in the world". I remembered our River Niger and wrote it in my exercise book.

The gorilla teacher got really angry! He

24

started to blow and blow and blow at me. He blew so hard that he blew me out of the window.

I was desperate. I wanted to fly, but I couldn't move my feet.

I woke up suddenly in a fright. I was on the floor, next to the bed, with the eider-down round my feet.

It is nearly time to get up now. I am feeling cold. I am going back to bed for little while.

I'll tell you all about everything next time.

A kiss as long as the River Niger,

Amina

5

–¿Qué traes en esa caja, Ío?

–E... iña ueva.

Todos están alborotados esta mañana. Es realmente difícil tratar de hacerse comprender en medio del ruido. En el caso de Ío, la dificultad se multiplica por mil, pues habla con un hilillo de voz casi imperceptible.

Todavía faltan más de doce minutos para que toque el timbre y ya todo cuarto B en pleno está en el patio de entrada esperando a que Cati, la bedel, abra la puerta. Es la primera vez que una alumna nueva se incorpora a su clase.

Hasta los gemelos Damián y Adrián, que habían estado varios días enfermos, han reaparecido.

–Yo he buscado Nigeria en Internet y he sacado el mapa por la impresora. Parece la copa de un árbol con el tronco escondido en el agua –Paulo saca su mapa.

–Lo más seguro es que tengamos que vacunarnos contra la fiebre amarilla y muchas enfermedades más. La nueva puede contagiarnos todo eso que hay en África –advierte Severo.

–¡No digas bobadas! –lo corta Flor–. Eso solo se hace cuando tú vas de viaje a su país. A lo mejor lo que debería es vacunarse ella contra los catarros, allí nunca hace frío. África quiere decir "sin frío", lo he leído.

–Pues que sepas que allí hay mucho síndrome de inmunodeficiencia adquirida y...

–¿Qué dices?

–Hay mucho SIDA, ¡ignorante!, y si esa niña lo tiene nos contagiará a todos.

–Tú, Seve, siempre vas de listillo –ayuda Fabián–. El SIDA solo se contagia con besos de novios y esas cosas.

–Entonces yo estoy a salvo porque no pienso enamorarme nunca jamás de una africana.

Al fin, la enorme puerta del colegio se abre automáticamente y, casi de forma inmediata, suena el timbre. El aula de cuarto B es la primera en llenarse.

El Colegio Concepción Arenal no es un colegio muy grande. Solamente hay dos cursos por cada nivel. En cuarto B había once niños y cinco niñas, aunque a partir de hoy serán diecisiete.

En sus más de treinta años de profesión, don Ignacio jamás había llegado tarde a clase. Hoy espera a la niña nueva.

Mientras tanto, Severo quiere ser el protagonista:

–El padre de mi bisabuelo también estuvo en África y tenía esclavos negros que trabajaban en sus plantaciones de algodón. Por un caballo le daban doce esclavos. Mi madre me ha dicho que toda África era una colonia.

–¿Una colonia? ¡Tú estás loco, Seve! –lo corrige Ana Lago–. África no es ningún perfume. ¡Son muchos países, tonto!

–Cuando llegue don Ignacio se lo preguntaré y veréis como llevo razón. Mi tatarabuelo también tenía minas de oro y de diamantes. Una vez se fue a comprar esclavos y había unos que ya estaban enfermos y viejos; y, como nadie los quería, se los echaron a unos perros salvajes para que se los comieran.

–¡Quieres callarte, bocazas! –protesta Flor–. ¡Fíjate como has asustado a Ío!

Ío se ha puesto muy nerviosa y aprieta con fuerza sus ceras de colores.

–No creo que sea por eso. Si es muda, también será sorda, ¿no?

–Sordo lo serás tú, que nunca atiendes en clase.

Enseguida se entabla una discusión. Miguel Ángel aprovecha para escribir en la pizarra con letras enormes: "Hello, Amina, Welcome".

Valentín, que se había ido a la puerta, avisa de la llegada de don Ignacio:

–¡Ya vienen! ¡Es negra!

Cuando el tutor entra en el aula con la compañera nueva cogida por el hombro, la clase entera enmudece. No parece el mismo alumnado bullicioso de siempre. Sus miradas se han convertido en el ojo múltiple de un insecto gigante, expectante, al acecho de lo que la niña nueva haga.

–Disculpad mi tardanza, es que... –en ese justo instante, don Ignacio se da cuenta de que Ío no cesa de llorar–. ¡Eh!, ¿qué ha pasado aquí?

–¡Severo ha asustado a Ío! –acusan a la vez Adrián y Damián.

–Sí, es que ha dicho que los perros salvajes de África se comen a los esclavos.

–Pero, ¿de qué monstruosidades habláis?

El tutor tiene que calmar a Ío. Luego le dice a Severo que necesita hablar con sus padres cuanto antes. Mira a la niña nueva y enseguida se le borra el enfado.

–Bueno, como ya suponéis, esta es Amina.

–¡Profe, que se dé la vuelta! –dice Miguel Ángel señalando el encerado.

Don Ignacio gira la cabeza, sonríe y hace girar a Amina, para que lo lea. Ella no sonríe. No dice nada ni hace un solo gesto.

La bedel aparece con una nueva mesa y una silla.

–¡Déjela ahí, Cati, gracias! –don Ignacio no sabe dónde ponerla, se le nota.

Los pupitres estaban distribuidos de dos en dos... ¿Y ahora qué hacer?

–No saquéis las cosas de las mochilas, que vamos a colocar las mesas de otra manera –decide.

Al poco tiempo, todos están sentados en pupitres individuales. En segunda fila, al lado del ventanal, le ha tocado a la niña nueva, justo detrás de Ío. De inmediato, con su

pésimo inglés –don Ignacio no sabe inglés–, se presenta:

–*Mai nein is Ignacio Aián de ticher* –pronuncia tocándose el pecho.

La respuesta de Amina es un sonoro estornudo que salpica la nuca de Ío. Luego todos han de hacer lo mismo mirando a Amina Nwapa. Ella no responde, se limita a estornudar y a sonarse entre presentación y presentación.

–¿Profe, puedo hacerle una pregunta a Amina? –pide Paulo, más prudente de lo habitual–. Es que como estornuda tanto... –enseguida se dirige a ella–: Amina, *ar yu costipeitid*[4]?

La niña nueva se vuelve al oír su nombre y, al momento, esconde la cara entre las manos. Paulo se queda cortado.

Durante toda la jornada ocurrirán muchas cosas.

Todavía Ío no le ha enseñado a nadie lo que guarda en la caja.

¿Qué pensará Amina de todo esto?

---

[4] En inglés correcto sería "constipated", con el significado de "estreñida".

6

Monday, 16th January 2006

Dear Edu Ignatius:

I think about you all the time.

I only started school last week but I have lots of things to tell you. There are not many girls in my class. I know all their names now.

At school I have a "tutor". A tutor teaches you but also helps you with everything. My tutor's name is Ignacio – like your name! That is funny!

In the morning, he waits for me to get into school. That is funny too!

Two of the boys in my class are twins. Their names are Damián and Adrián. They are very nice. They have long hair. The other children can't tell the difference between them. I can. That is funny too!

Adrian has a mole near his eye and he is

always laughing. Damián is always serious and has a mole near his mouth. They both have enormous eyes like you.

There is a very nice girl too. Her name is Io.

Io is short, like her name. She never says anything, but she looks at me with a very kind expression on her face.

She gave me a lovely present the other day!

It was like this...

We were in the playground. A boy came up to me and shouted, "Negra!" in my ear. Io didn't like his tone of voice and pushed him. The boy fell into a puddle of water and I started to laugh. His trousers got wet! He looked very silly!

On that first day of school, I didn't have a very good time.

Everyone spoke to me at the same time. I didn't understand anything. I ran to the other end of the playground. I wanted to cry.

A girl followed me. It was Io. She touched my arm and gave me a box.

"Is it for me?" I asked.

She nodded.

There were little holes in the box. I opened the box. What a fright! There was a guinea pig looking at me! And IT looked more frightened than me!

It is LOVELY! The guinea pig was Io's present to me!

He (he is a male) is here at home. Mummy likes him too. I call him Edu, after you. You don't mind, do you?

Now, when I get home, Edu is waiting for me and I tell him everything.

I am starting to learn things at school. And Mummy is learning things at work.

When she comes home in the evening, she teaches me new words.

"Gracias señora", "¿puedo hacer algo por usted?", "¿qué busca, usted?, ¿ya puedo limpiar el baño?" "Por favor, señor, ¿es tan amable de dejar aquí su paraguas?"

There is a boy in my class called Paulo. He is a bit silly.

It is like this, you see...

I had a cold. Suddenly, Paulo said to me, "Are you constipated?" Why did he ask me about going to the toilet? I was very embarrassed.

I don't speak in class yet. Io doesn't speak either. But I work very hard. Io works hard too.

Our teacher, Sara, never stops talking. She tells us stories. Io draws them for me to help me understand.

I don't know if I can write to you every day. I have to wash my clothes when I get home. I want to look nice and clean at school. But the clothes take a long, long time to dry here.

Mummy is very tired when she gets home. So I have to help her.

Bye for now. A shower of kisses to you, like the August rain in Lagos.

Amina

7

Todos se han sabido las frases y Sara continúa el relato de su aventura en África:

–La oscuridad era total. De repente, como si los dioses hubiesen encendido una lámpara gigante, el cielo se volvió rojo sangre. Me vestí con ropas frescas, cogí la maleta y salí a la calle. Ejércitos enteros de hormigas, ciempiés, escarabajos, arañas... comenzaron a desfilar ante mis ojos. Toda la ciudad empezó a moverse a la vez. El día se encendió como si le hubiesen dado a un interruptor. Yo quería ir a Kumasi...

–¿Qué es eso? –interrumpe Paulo.

–¡¡Cállate!! –lo reprenden los demás.

–Un niño tiró de mí hacia un autobús. Subí. Me acerqué al conductor, que dormitaba en la cabina, entre aquellos carteles de enormes serpientes. ¡Ni por la cabeza se me pasaba que no tardaría mucho en jugarme la vida luchando contra una cobra de verdad! El chofer extendió su mano para saludarme.

Enseguida recordé que tenía que apretar decidida la suya y reírme. Tenía que reírme mucho, para demostrarle mi confianza. Lo había leído en mi libro sobre África. Él hacía lo mismo. Casi me la rompía, pero yo debía seguir "explotando de risa", como si me contara el mejor de los chistes. Luego pagué mi viaje y me senté.

–¿Es cierto eso? –vuelve a hablar Paulo.

–¡¡Cállate, tonto!! –suenan varias voces a un tiempo.

–El autobús no arrancó hasta que estuvo completo. La gente se subía y se quedaba totalmente quieta. Parecían muertos. En cuanto se puso en marcha, todos comenzaron a ha-

blar, como si se hubiesen despertado de un extraño sueño.

–A lo mejor les había picado la mosca del sueño –interrumpe ahora Valentín.

–O eran mudos, como Ío –sugiere Severo.

Sara ignora los comentarios:

–Me miraban. El color blanco de mi piel me hacía sentir mal. Después de varios kilómetros por carreteras llenas de agujeros, llegamos a un sitio despoblado y nos hicieron bajar. Yo, alucinada, observé cómo aquella gente desapareció de pronto. Pensé si la habría derretido el sol. Me quedé sola, a punto de deshidratarme y sin saber qué camino tomar. Fui arrastrando mi maleta por aquel

terreno duro hasta que llegué a un túnel de abedules y robles...

–¿Un túnel de árboles, profe? –se pasma Paulo.

–Sí, claro. Entrelazaban sus ramas cual dedos de manos amigas y cubrían el techo. Cada vez me costaba más arrastrar mi maleta. Las ruedecillas se habían quedado atrás.

–¿Por qué no alquilaste un camello? –habla Paz, impresionada.

–¡Imposible! –asegura rotunda la profesora–. Los camellos no se adaptan al África subsahariana. Les ataca la mosca *tse-tse*.

–¡Esa, esa es la mosca del sueño que decía yo! –recuerda Valentín.

–Salí de aquella espesura y al momento volví a notar los afilados colmillos del sol clavándoseme en el cuello. Su luz tan intensa me cegaba. Cuando al fin pude ver, una manada de búfalos avanzaba hacia mí...

–¡Si corres, ellos también corren y te aplastan! –se preocupó Flor–. Lo he leído.

En ese instante Ío levanta los ojos de su cuaderno, aunque no parece asustada.

A Ío le cuesta mucho comunicarse con los demás. Sin embargo, dibuja mejor que todos sus compañeros. Acaba de pasar una hoja a Amina.

Sara, sin dejar de hablar, se acerca a su mesa y observa unas magníficas ilustraciones: un autobús repleto de gente, una mujer con sus mismas gafas saluda al conductor, la misma mujer arrastrando una maleta, un sol con dientes afilados...

En la mesa de Amina hay más dibujos. Se los ha dado Ío.

Amina, aun sin saber español, comienza a interesarse por lo que Sara cuenta:

—Yo avanzaba por aquel infierno de calor, muy despacio, entre la manada de búfalos. ¡Eran como un campo de minas! Si apenas rozaba uno, me atacarían. Buscaban una sombra, yo también. En África y en los días de más calor, si estás al sol cuando desaparece tu sombra, te mueres.

—¡Quééé! —se les escapa a casi todos a la vez.

—Claro, si estás al sol cuando está justo encima de tu cabeza, tu sombra se esconde bajo tus pies —Sara se emociona al recordar—: Volví la vista atrás, un viejo león hambriento me miraba como se mira un plato de comida. Ya no podía dar vuelta. Mi maleta se abrió. Yo continué avanzando sin soltarla. Un rastro de ropa iba marcando mi camino.

–¿Por qué no te llevaste una mochila, profe?

–Déjame terminar, Fabián, que la maleta llegó a salvarme la vida.

–¿Te metiste dentro?

–¡Cállate! –se oye al fondo.

–En cuanto me alejé de los búfalos, allí mismo me desplomé boca abajo. Reinaba un silencio total y angustioso. Los mosquitos danzaban a mi alrededor como chispas de una hoguera. El león se mantenía a cierta distancia; aunque, en aquel momento, me hubiese dado igual que me comiera. Cerré los ojos. No sé el tiempo que estuve así... –Sara acaricia una cicatriz de su cuello sin detener su aventura–: De repente, mi mano tocó algo viscoso. Me asusté y, a pesar de la luz cegadora, pude reconocer unas manchas grises y amarillas que se movían lentamente.

Sara se calla un instante para tomar aliento. Ío no para de hacer dibujos que enseguida pasa a la mesa de atrás.

–A cobra! –exclama Amina, tapándose de inmediato la boca.

Y aunque deja a todos patidifusos, nadie se atreve a decir nada. Sara sigue hablando, pero en su voz se percibe una mayor emoción.

–Recordé el dibujo de *El Principito*, en el que una boa se había tragado un elefante entero. Muy despacio, fui acercando mi maleta abierta y vacía. La cobra también se movía lenta y silenciosa. Eché de golpe la maleta sobre su cabeza gigante y me puse encima rapidísimo. ¡Nunca en mi vida agradecí tanto el estar gordita!

–¡Eres guapa! –dice ahora Flor.

Y la inquietud crece. Sara habla excitada, como si todavía estuviera en África:

–Yo ya me veía en un túnel muy diferente del de robles y abedules, ¡dentro de la cobra! Los bordes de mi maleta se habían afilado al ir rozando contra el suelo. Me esforzaba por mantenerme encima de la cobra. Todavía me golpeó con su cola, antes de rodear mi cintura. Su propio peso sobre mi cuerpo me ayudó a hacer más presión contra su cabeza. Las fuerzas se me agotaban. Justo en ese momento...

Justo en ese momento suena el timbre y Sara les promete continuar en otra ocasión, si se estudian las nuevas frases. Luego sale con mucha prisa.

8

Thursday, 26th January 2006

My dear cousin Edu:

I think about you all the time.

I couldn't wake up this morning. And I called Mummy a witch! I was still sleepy.

Last night I dreamt of a wicked witch. She had a cobra's body!

It was like this...

There was a lake with apple trees round it. The witch came out of the lake. She looked up at the sun and laughed with a terrible laugh. The sun looked angry. The witch wound her horrible body around the mountains. No one could open their windows.

I lived in a beautiful palace.

The witch opened my door and shouted, "Get out! Get out! And never come back!"

I went to a different mountain. There were flowers and palm trees and mango trees there.

And the witch was there too!

I looked at her and immediately ran away down the hill. The trees started to run too. They were running after me!

I opened my eyes and saw Mummy's face in front of me. "Witch!", I shouted. I was sleepy!

Mummy kissed me and I immediately felt better.

It is getting dark here now. Here in Spain the sun goes down very slowly. The colours of the mountains, the houses, the trees change very, very slowly...

The sun gets up slowly in the morning too. It is sleepy too. The mornings are pale, not bright like in Africa.

I really miss the light of Africa.

No one sits on the grass and has supper outside. It is cold. It rains a lot, but people are not frightened of the rain.

Edu, my guinea pig, is playing with some water. I think about you. I can imagine you now. You are going to get water...

I don't have to go to the river for water. We have water here at home.

We live at the top of a tall building - like the most important chiefs in Africa!

We have lots of food here in the house too.

Some white people here are poor. But they are not cannibals. And no one says "The white man is coming to catch you", like they said to me when I was little.

Sara, my teacher, never stops talking. I don't understand her. Io helps me. She draws wonderful pictures for me.

I still have a cold. But I am beginning to feel better. I have the lucky charm you gave me. Your crocodile's tooth always protects me. I am sure of it.

My spirit is still on the island of Lagos with my father (and you). But I have to be with my mother.

I must go. I want to learn a poem in Spanish. I want to sing it to you if I can. I don't understand it yet.

But Severo read it in the playground at break and it sounded funny. Everybody laughed a lot. Except Io.

Io never laughs.

Then Severo gave me the poem. I said thank you to him with my eyes. He went very red. I did too. He wrote my name and all the other girls' names in the poem.

A kiss as long as the distance between us.
Amina

9

Nunca hasta ahora, en el Colegio Concepción Arenal, se habían imaginado que pudiera haber tantas formas diferentes de recogerse el pelo. En esta zona, tan alejada del centro de la ciudad, es la primera vez que alguien que ha venido de tan lejos se matricula en el colegio. Eso hace que Amina se convierta en el centro de atención.

Amina no ha repetido peinado en ninguna ocasión. Hoy se ha esmerado incluso más. Varias bolitas verdes y blancas adornan sus múltiples trenzas.

Se ha puesto especialmente guapa. Sabe que, en cuanto ponga su voz a aquel poema delante de toda la clase, se convertirá en protagonista. Hasta ahora, había permanecido prácticamente muda, igual que Ío.

Ío es incapaz de hablar sin echarse a temblar, como si cada palabra que dijera convirtiera en hielo un trocito de su cuerpo.

–Mi no ser de tu tribu –le había dicho Severo a Amina, queriendo hacerse el gracioso.

Valentín, con la pretensión de reírse en sus narices, hizo el gesto de convidarla a un trozo de su bocadillo de queso. Tocó un brazo de Amina, juntó enseguida la punta de los dedos en un racimo, los acercó a su propia boca y le dijo:

–¿Tienes hambre? ¡Pues te aguantas, maja!

Amina le respondió con una sonrisa y bajó rápidamente la mirada hasta detenerla en el suelo.

Hoy no va a ser así, hoy está decidida a corresponder a todas las atenciones que cree recibir y, bonita como un ángel negro, se pone en pie para decir:

–Yo poema, todos. Yo canta.

Por primera vez se esfuerza por comunicarse con los demás. Don Ignacio, atónito, se emociona:

–¿Quieres dedicar un poema a tus compañeros? ¿Quieres cantarlo?

–Cantarlo, sí.

–Pues, ¡adelante!

No es necesario que el tutor imponga orden. Todo el mundo permanece expectante.

Amina, con voz de hada de cuento, parece bordar con hilos de oro un paño de auténtica seda. De ese modo comienza a cantar la extraña canción que Severo le había regalado:

Has venido del África Negra
africana ana ana.
Es muy feo tu pelo de oveja,
tu rosario de trenzas de vieja.
Piernas de espagueti con tinta de calamar,
nariz de coliflor flor flor,
de ti me río ío ío.
¡Vuelve a tu tierra y déjanos en paz!
Africana con boca de rana,
¿eres muda o no sabes hablar?
Amina Nwapa, no vayas de guapa.
¡Qué negra eres, Amina!
¿Trabajas en una mina?
Y si es así tu color...
¡Qué horror!

Una poderosísima magia deja a todos paralizados. Nadie es capaz de mover ni siquiera un párpado.

Don Ignacio se ha quedado tan blanco como si lo hubieran metido en una bañera con lejía pura. Flor y otros muchos tienen los ojos húmedos, con ganas de llorar.

Hasta a los propios autores de la letra les ha cambiado el color de la cara y las orejas: tanto Valentín como Severo se han convertido en pimientos rojos con forma de niño.

Amina mira a unos y a otros, y decide acercarse a Severo. Lo mira a los ojos y con una pronunciación casi correcta le dice:

–Gracias, "monito".

Aunque su intención era decir "gracias, es bonito", todo el mundo se alegró de su equivocación.

–"Monito" es poco –susurra al fin don Ignacio–. Un orangután, eso es lo que eres.

En el recreo, Severo se queda dentro, hablando con don Ignacio. Bueno, es más exacto decir que don Ignacio se queda hablando con Severo. Desde el patio se ve la ventana del aula y es el profesor quien mueve la boca y gesticula todo el rato.

–¿Habéis visto? ¡Ha entrado la directora! –va narrando Miguel Ángel, que es el mejor situado.

–¿Lo expulsarán? –pregunta Damián.

–¡Segurísimo! –da por hecho su hermano.

–Se lo merece –sentencia Flor–. Ha sido un cerdo asqueroso.

No se habló de otra cosa en todo el recreo. Luego las niñas, a excepción de Ío y de la propia Amina que desaparecieron por otra ala del patio, se reúnen por su cuenta y deciden hacer algo.

Se trata de un secreto.

–A los gemelos podemos decírselo. A lo mejor también se apuntan –dice Paz.

–Ya... Y a Fabián, que todavía tiene el pelo más largo... ¡Podríamos decírselo a todo el colegio! –propone Ana.

Las niñas de cuarto B organizan una gran manifestación en defensa de Amina.

En un solo día consiguen avisar a todo el colegio: deberán ir vestidos con las ropas típicas de Nigeria y con la cara pintada de negro.

Un día después, la manifestación es todo un éxito.

Severo tiene que darle la mano a Amina delante de todos y repetir la misma consigna que los demás: "Yo también soy africana".

–¿Has visto? –le reprocha Paz–. ¡Su mano no mancha de negro, tonto!

Nada más entrar en el aula, Severo dice que le duele la tripa y la directora llama a su casa.

–¿Te duele mucho? Si no estás el lunes, te vas a perder el momento de soltar las palomas –le recuerda el tutor–. Este año le toca a nuestra clase.

Pero Severo decide irse de todas formas.

¿Cómo se habrá tomado Amina toda la movida?

10

Friday, 27th January 2006

Dear Edu:

I think about you all the time.

"Edu II" is running round the table. He keeps running over my paper. He is funny. He uses his paws just like hands! He is beautiful. I love his grey fur!

Edu, I have lots of friends –boys and girls–. They give me presents.

Io gave me some pictures of red, yellow, pink, blue and white apples ... She draws Sara's stories too.

I love her pictures.

Severo's song was nice too, but we can't find it anywhere! Somebody must have it somewhere. I can't remember the words. What a pity!

Severo is very attractive, like you. He has very short hair. That is the reason he couldn't take part in the school party.

It was like this...

Everyone reacted to Severo's song. Some girls and boys were almost crying.

Then a lot of things happened.

When I got to school this morning, they were having a party! I thought I was dreaming and was back in Lagos.

Mummy took me to school very early. On Thursdays and Fridays, she cleans for a family in the city and she has to travel a long way. So I go to school early.

Then a girl came into school. She had a lot of braids, like me. Her skin was black, like mine. She was a new girl, I think. She said hello to me. Then two more black girls got out of a car. They had braids too.

"Hello, Amina!", they said.

"Hello!", I said.

A few minutes later, the playground was like a school in Lagos: more and more black girls, with braids...

They all said hello to me.

And it was not a dream!

Severo appeared and was very surprised too. His white face went even whiter. He looked like cream in a chocolate cake.

The girls formed a very big circle. Severo and I were in the middle of it.

Severo didn't want to play and wanted to run away. But he couldn't get out of the circle. He had to stay.

"¡Yo también soy africana!", a girl shouted.

"Yo también soy africana", another one shouted.

They all danced around us and sang:

"Yo también soy africana".

I understood that we had to say the same thing if we wanted to play.

"Yo también soy africana", I said.

I don't understand the meaning, but it was fun.

In the end, Severo said, "Yo también soy africana", and he took my hand.

Oh, no! I must go. Sorry! There is water all over the table, thanks to Edu II.

A kiss as big as the Bay of Benin.

Amina

11

–¿Has traído las palomas, Paulo?

–¡Hala, se me han olvidado!

–¿Y tú, Fabián? ¿Tampoco tú?

–Es que mi abuela se ha puesto enferma y...

–El que con niños se acuesta... –don Ignacio lamenta el contratiempo.

Su clase es la encargada este año de organizar los actos del Día de la Paz que hoy, lunes, celebrarán.

Muchos se habían apuntado voluntarios para traer las palomas y se han olvidado todos. Pensaban soltarlas después de la lectura de los poemas, como símbolo de paz y libertad.

–Profe, podemos hacerlas de papel y las lanzamos al aire.

–En el colegio de mi primo Lucas soltarán globos blancos.

–Las gallinas de mi abuela también son blancas, ¡podíamos soltarlas por el patio!

–¡Eh, que tenemos que terminar de colorear las cartulinas!

Mientras intentan arreglar la situación, aparece Severo. En una jaula trae dos hermosas palomas.

–¡Caramba, Severo! A veces me sorprendes –sonríe don Ignacio–. ¡Hoy has sido nuestra salvación! Me alegro mucho de que se te haya pasado el dolor de tripa.

Antes de salir, todavía tienen clase de inglés y Sara da fin a su escalofriante relato:

–Y, cuando estaba a punto de desmayarme, ¡por fin!, con los bordes de la maleta conseguí cortar la cabeza de la cobra y un espeso surtidor comenzó a teñir de rojo mis ropas y mi piel.

–¿Y te volviste una piel roja?

Nadie hace caso ya al comentario de Paulo, porque por megafonía suena la voz de la directora.

"Por motivo del mal tiempo, los actos previstos para el día de hoy se celebrarán en el patio cubierto. Ya podéis ir saliendo. Seguid las indicaciones de vuestros profesores".

Enseguida los de cuarto B ocupan la primera fila. Hoy serán los protagonistas.

Ya todos los cursos están fuera.

Paulo, Valentín, Rosario, Ana y Fabián sujetan cartulinas con hermosas frases de colores: *Que las armas se conviertan en turrón de chocolate. No a los callos en las manos de los niños. ¡Vivan las risas de los abuelos! ¡Sueños para todos! A una mujer no se la pega ni con pétalos de rosas.*

El patio se llena. La lluvia no cesa de repicar en las aceras.

Habla la directora, habla don Ignacio y, a continuación, varios niños y varias niñas leen sus escritos sobre la Paz.

Ío se acerca al micrófono para leer el suyo. Todo el mundo se queda boquiabierto. El silencio se hace total.

¡La muda va a hablar!

El micrófono multiplica su voz por mil, pero la lluvia cae con demasiada fuerza y sus palabras entrecortadas se ahogan.

–Mi abuela, la paloma –creen oír.

Don Ignacio se acerca y le ayuda a pronunciar:

—Una paloma oyó un grito
que salió de una ventana.
Se acercó y cerró el pico,
¡lo que vio la dejó parva!

Un ogro, haciéndose el loco,
a una madre maltrataba.
La paloma escuchó un poco
y pensó: ¡vaya pasada!

También estaba una cría
que todo aquello miró.
Lloraba lágrimas lilas,
la paloma las bebió.

Enseguida abrió sus alas
y la cría se subió.
¡Agárrate a mi espalda!
Y con ella se marchó.

Un eco de aplausos oculta ahora el sonido del agua. Todos gritan con entusiasmo:

–¡Bravo! ¡Bravo!

–¡Bien por Ío!

–¡Hurra! ¡Hurra!

La ovación y las risas se prolongan hasta después de que las palomas emprenden el vuelo desde las manos de Amina y Severo.

Así lo habían decidido los de cuarto B.

Todos miran al cielo. Las dos aves dibujan lazos en el aire antes de dirigirse a su casa, que está a varios kilómetros del lugar. Cuando se convierten en puntos invisibles, niños y niñas vuelven a las aulas.

–¿Alguien sabe dónde se ha metido Ío? –se da cuenta don Ignacio.

Nadie la ha visto desde que soltaron las palomas.

¡Ío ha desaparecido!

El colegio entero se revoluciona. La buscan en el patio, en el gimnasio, en los aseos, en el aula de música, en la biblioteca... No está en ninguno de esos sitios.

Ha pasado ya un cuarto de hora y la niña poeta sigue sin aparecer.

–¿Y si la ha secuestrado un desconocido? Aunque haya chillado, no se oiría.

–Claro, casi es muda del todo.

–Es un trauma, ¡tonto!, que lo ha dicho la orientadora.

–¿Y si se ha ido hacia el río y se ha caído al agua?

–Puede ser que le haya dado un infarto y esté muerta en el baño.

Cada niña y cada niño dan su opinión. Eso pone muy nerviosa a la profesora Sara, que rompe a llorar en un ataque de ansiedad.

–La culpa ha sido mía, la culpa ha sido mía –repite.

–¿La has secuestrado tú, profe? –pregunta Casiano Verde, sorprendidísimo.

Valentín sale disparado, gritando enloquecido por los pasillos:

–¡La ha secuestrado Sara! ¡La ha secuestrado Sara!

–¿Qué dices? –aparece el tutor, como por arte de magia.

–¡La profe Sara ha raptado a Ío!, lo ha dicho Casiano Verde.

Don Ignacio busca a Sara, que sigue insistiendo:

–La culpa ha sido mía.

–¿Por qué dices eso? –se sorprende don Ignacio.

Sara traga saliva y susurra una confidencia al oído de don Ignacio. Aunque todos están muy atentos, solo pueden enterarse del final:

–Y quizás haya sido por eso.

–La conozco bien y estoy seguro de que ese no fue el motivo. Ojalá todos los profesores hiciéramos lo mismo que tú, así que tranquilízate –la consuela don Ignacio.

Amina se acerca a la profesora Sara y le regala un dibujo: una niña vuela hacia un árbol de colores, a lomos de una paloma, se lo había hecho Amina.

–Thank you, dear, but I'm not sure that I deserve presents today.

Sara, a cambio, le devuelve un beso y una sonrisa.

Desde el mediodía, las horas más amargas se instalan en el alumnado y el profesorado del Colegio Concepción Arenal. Todo el barrio está ya afligido.

12

Monday, 30th January 2006

Edu dear:

How are you? How is granddad? How is grandma? How is your big brother? And your little brother? And Uncle Wole?

Tell me about Uncle Wole. Is he still selling cups of good hot coffee?

I am playing with my guinea pig. Mummy comes home very late and I am alone at home. It is raining a lot. It is like a monsoon.

What are you doing? Do you go down to the sea in Lagos to watch the boats? Did Uncle Wole take you to Lake Kainji? Is it true that there are big boats there too?

Something strange happened at school today.

In the playground we were watching the birds in the sky. We went into class and the problem started. Children, teachers ... everyone was running around like rats.

Sara the teacher was crying. Why was she so sad? Was her father sick?

When my father was sick, I was sad too. Do you remember?

He had malaria and shivered all the time. "Cover me up, cover me up", he said to me all the time.

I put all the clothes in the house on top of him. "More, cover me up more", he said.

Then you came to our house and we climbed onto the bed. His body was shivering. We started to shiver too!

Daddy was very, very sick then.

Suddenly, he stopped shivering. He didn't move at all and he didn't talk. He was like stone. It was bad.

And that night everything was bad. Do you remember?

The police came. We had to leave our house. All our neighbours had to leave their houses too.

All our poor homes suddenly disappeared. All the poor homes on the island of Lagos disappeared.

Mummy shouted, Grandma shouted, Uncle Wole shouted... You and I shouted too.

Some machines came and demolished everything. Our homes converted into dust!

And then Mohammed appeared. Do you remember? All his clothes were white and he brought a present for Mummy. "Here, this is for all the palm beers you served me. Its brings good luck", he said. The present was cockerel feathers. Mohammed bought them at Jankara Market. And they brought us good luck! Because we are in Spain now.

On Monday, I am going to take the cockerel feathers and my crocodile's tooth to school. I am going to give them to Sara. I don't like to see her sad.

Sara tells stories about Africa. Io draws them for me.

Today Io read a poem in the playground. Everybody applauded. Me too.

Severo had a dove on his hand and then he put a dove on my hand too. Severo's dove flew up into the sky and my dove followed it!

Everyone applauded more and more. They laughed a lot too.

Then we went into class. That is when the problem started. I wanted to draw lots of birds singing. I wanted to tell Io that I loved her voice, but she wasn't there.

Then we all went home.

Oh, no! I must go. Somebody is at the door. It's very early for Mummy to be home.

Think about me.

I'm always thinking about you.

A kiss as big as an elephant.

Amina

13

El pueblo entero busca consternado a Ío. La policía, los vecinos, los bomberos... todos peinan los alrededores.

Ya es media tarde y continúa sin aparecer.

La profesora de inglés se presenta en la casa de Amina, que se sorprende mucho al verla, pero enseguida se alegra.

–Sara!

–Can I speak to you?

Sara, en inglés, la pone al corriente de lo que ha ocurrido. Ahora sabe el motivo de la tristeza de su profesora: ¡Ío ha desaparecido!

Amina también se pone muy triste.

–Io is my friend!

–Where is she? Have you any idea?

–No.

Está tan poco habituada a hablar fuera de su casa que contesta con frases muy cortas. Sara intenta averiguar algo.

–Was she sad?

–No.

–Was she frightened about the cobra story?

–No. Io liked your story.

–Did you talk to her?

–I drew pictures for her.

–What pictures? Can you remember?

–Pictures of the beautiful light in Africa.

Sara no es capaz de aclarar nada y se despide de Amina:

–I'm going now. Don't worry, Io isn't far away.

La profesora se va sin sospechar siquiera que ha complicado el problema.

A Amina se le agrandan los ojos, que ya eran enormes, al conocer lo que le ha ocurrido realmente a su amiga Ío y corre a buscar los dibujos que esta le había hecho.

Se sienta en el suelo y se pone a mirar uno por uno: árboles inmensos con frutas de colores, pájaros gigantes, un elefante hundiéndose en un lago, una cueva repleta de estrellas, una enorme cobra con cabeza de bruja, una mujer arrastrando una maleta abierta, una casa vieja junto a un hermoso lago...

Amina acaba de reconocer aquel lugar. Se pone el anorak, coge la linterna que le había

comprado su madre en Navidad y sale a toda prisa de su casa. Se adentra en una zona deshabitada y sigue corriendo. ¡Ha tenido una corazonada!

Al fin llega a un hermoso lago rodeado de árboles que había descubierto con su madre.

–Ioooooo, hey! Are you there?

Su voz mojada se cuela entre las ramas de los manzanos. El viento la extiende por los alrededores.

Amina se calla. Espera una respuesta, pero el mismo viento le devuelve un silencio y un relámpago. Casi de inmediato, el cielo se rompe en un ruido espantoso.

La tormenta crece a la misma velocidad que se muere el día. Ahora el agua rebota en la propia tierra, que ya no quiere beber más.

Amina vence su miedo y entra en la vieja casa. Unos débiles gemidos hacen que se vuelva hacia una de las esquinas...

¡Allí está Ío!

Encogida y agarrada a sus ceras de colores, Ío se guarece de la fuerte tormenta arrimada a una de las paredes.

Amina se acerca muy despacio. Se miran. Se pone a su lado y se va encogiendo hasta

adoptar la misma postura que ella. Así permanecen, escuchando el tamborileo del agua en el tejado, mientras el día se va marchando poco a poco. Amina saca la linterna del bolsillo y la enciende. La luz apunta hacia una especie de monstruo dibujado en la pared de enfrente.

–Did you draw that?

–Sí –Ío ha comprendido y contesta–: Me gusta este lugar.

–It is nice.

–Es un ogro –explica Ío.

La luz va recorriendo las paredes...

–What is that? It looks like a dove.

–Sí, es mi abuela.

Se vuelven a callar un rato. Lo que no dicen sus palabras lo dicen sus gestos y sus miradas. Luego todavía continúan hablando un buen rato: Ío le cuenta cosas, algunas son tristes, otras son hermosas. Amina también le cuenta cosas, unas huelen a rosas y otras pican como espinas.

Antes de regresar a casa, aún dedican unos minutos a emborronar el ogro hasta hacerlo desaparecer. Sobre él pintan más manzanas de colores. Y sus risas exageradas llegan hasta los árboles que rodean el lago.

Mientras todo esto ocurre, la madre de Amina ya ha vuelto del trabajo y ha comprobado que su hija también ha desaparecido.

Desesperada, sale enseguida para pedir ayuda.

El miedo de todos los padres se multiplica. Mantienen a sus hijos encerrados en sus casas. El pánico no les permite hacer otra cosa.

Los adultos salen a la calle como si hubieran sufrido un fuerte terremoto. Controlan las entradas y salidas del pueblo, vigilan a los desconocidos, hablan...

–Yo, madre de Amina –se presenta la joven mujer extendiendo los brazos hacia una mujer mayor.

–Ío es mi nieta –dice la mujer mayor correspondiendo al abrazo.

Las dos sufren una pena igual de gigante: ha desaparecido la persona más importante de sus vidas. La misma lluvia moja sus caras y lava sus lágrimas. Se entienden sin necesidad de volver a hablar.

Cuatro especialistas bucean en las aguas frías del río.

Esa madre y esa abuela esperan y se desesperan muy juntas.

En la radio dan la noticia del suceso cada media hora. Los periódicos preparan las fotografías de las dos niñas para la portada de mañana.

El propio lunes, cuando la noche comienza a pintar de oscuro las caras y las almas de todos, sus ánimos se iluminan de pronto. Dos sombras caminan de la mano hacia ellos, como una aparición.

Todavía dudaban de quienes podrían ser cuando, de manera simultánea, ven a Ío abrazada a una mujer mayor, de pelo y rostro deliciosamente blancos, y a Amina abrazada a una mujer joven, de pelo y rostro deliciosamente negros.

Las dos niñas regresan empapadas por la lluvia. Ío tirita de frío, Amina tirita de frío, pero no parecen tener un solo rasguño.

Ío lleva un manojo de plumas colgado del cuello. Del cuello de Amina pende un diente de animal grande.

Las dos parecen cansadas y nadie quiere importunarlas con preguntas.

El lugar al que había huido Ío y los motivos que la llevaron a ello, todavía son un misterio, un secreto que solo Amina conoce ya.

El aguacero se mezcla ahora con las lágrimas de júbilo de todos los rostros.

14

Monday, 6th February 2006

Edu Ignatius:

I love you! I'm always thinking about you.
I am very happy today.
It is like this...
Io explained things to me with pictures.
I told you that, remember? Now we communicate with words too. I am learning
Spanish very quickly.

Last week Io went to her secret place. It
is not very near here.

I went there with Mummy one day, but
then I didn't know Io.

Sara came to our house. Io was missing.
I was very sad and started to look at her
pictures...

And then I knew! I ran to find her.

Mummy was very worried because she
came home and I wasn't there. But it is all

right now. I am not going to do that again.
I am not going to worry her again.

Io painted the pictures on the walls of the
old house. She is a real artist.

Her father was a bad man, Io said. So she
draws him like an ogre.

We painted lots of coloured apples on his
face the other day. He looks better now.

There are some enormous apple trees near
here. You can see the stars through the
branches. The leaves and apples look a different colour when there are stars in the sky.
There is also a little lake. It is very beautiful.
Now it is our lake.

We went there yesterday. Io explained her
poem to me. There were sad things and happy
things in it. I told her about you... These are
our secrets.

Io went to the house near the lake because
she didn't like the applause and laughter in
the playground. I know that. Her poem was
sad.

Sara, the teacher, was sad too. Io liked her
stories about her adventures in Africa. But
Sara doesn't know Africa. She just read a
nice book and she went to Africa in her

dreams. She told us today. She showed us the book. We all want to read it.

My tutor, Ignacio, is very funny. When he speaks to me in English, I don't understand anything. I just laugh. Severo is different now, Ignacio says. In my opinion, he is a good person now and he was a good person before too.

Severo gave me a different poem today. I am sending it to you in Spanish. It sounds nice. I understand it – well, almost. His first poem disappeared, I'm sorry to say. I am sure it was very nice too.

Entraste en mi sueño
con pies de puntillas,
me diste la mano,
me hiciste cosquillas.
Yo me reí mucho
de lo que tú hacías:
bailabas, cantabas
dos mil poesías
Escribo tu nombre:
pongo Amina Nwapa,
aparece un barco

con vela de plata.
No quiero ser ogro,
poner voz de trueno.
No quiero ser león,
jugar con el miedo.
Amina Nwapa,
¡qué guapa!
Do you want to be my friend?

He likes me! It is so funny! I'll tell you more next time.

A magic kiss, like the magic lake where Io and I talk about everything.

Amina

P.S. Io has an idea. We are going to call the lake "El lago de las niñas mudas". We love the idea.

TUS BOOKS

Y PARA SEGUIR APRENDIENDO INGLÉS
DE FORMA DIVERTIDA, NO TE PIERDAS:

Nivel 1
UN ASUNTO TOP SECRET
Begoña Oro

Nivel 2
*SILENCE!: EL LAGO DE
LAS NIÑAS MUDAS*
Fina Casalderrey

Nivel 3
WHAT A VIAJE!
Paloma Bordons

Nivel 4
*SI YO SOY ZANAHORIA,
TÚ ERES NUTS*
María Menéndez-Ponte

Nivel 5
EL ASESINO NEVER SLEEPS
Carlos Puerto